www.loqueleo.com/es

Título original: THE MAN WHO WORE ALL HIS CLOTHES
Publicado por primera vez por Walker Books Ltd.
87 Vaushall Walk, London
© 2001, Allan Ahlberg
© 2001, Katharine McEwen
© De la traducción: 2005, Carlos Abio y Mercedes Villegas
© De esta edición:
    2016, Santillana Infantil y Juvenil, S. L.
    Avenida de los Artesanos, 6. 28760 Tres Cantos (Madrid)
    Teléfono: 91 744 90 60

ISBN: 978-84-9122-015-2
Depósito legal: M-37.544-2015
Printed in Spain - Impreso en España

Segunda edición: enero de 2017

Directora de la colección:
Maite Malagón
Editora ejecutiva:
Yolanda Caja
Dirección de arte:
José Crespo y Rosa Marín
Proyecto gráfico:
Marisol del Burgo, Rubén Chumillas, Julia Ortega y Álvaro Recuenco

El papá que se puso toda la ropa

Allan Ahlberg

Ilustraciones de Katharine McEwen

loqueleo

Esta es la familia Gaskitt

Señor Gaskitt
Un papá joven y
esbelto que a veces
se pone toda la ropa.

Señora Gaskitt
Madre cariñosa
y excelente taxista.

Gus y Gloria Gaskitt
Mellizos de nueve años.

Horacio, el gato de los Gaskitt

Le gustan los sillones cómodos, las viejas películas de la tele y los anuncios de comida para gatos.

La nevera de los Gaskitt

Tiene un congelador de cinco estrellas, un gran cajón de verduras... y escribe sin faltas.

La radio del coche de los Gaskitt

A veces se equivoca.

El señor Gaskitt se viste

8   Una mañana de diciembre, el señor
    Gaskitt se levantó.

¡Buenos días,
señor Gaskitt!

Se puso la camiseta, los calzoncillos
y los calcetines, y otros calcetines, otra
camiseta y otros calzoncillos, y otros
calzoncillos, otros calcetines y
otra camiseta...

—¡Me encantan tus calcetines, cariño!
—dijo la señora Gaskitt.

Se puso tres camisas y dos pares de
pantalones.

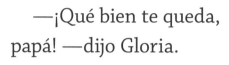

—¡Qué bien te queda,
papá! —dijo Gloria.

Se puso cuatro jerséis y
una corbata.

—¡Tu corbata es genial,
papá! —dijo Gus.

Mientras tanto, Horacio se había metido en la parte de la cama del señor Gaskitt, que todavía estaba calentita.

De pronto, sonó el teléfono.

—Necesito un taxi —dijo alguien con voz ronca.

—Claro —exclamó la señora Gaskitt—. ¿Para cuándo?

—Para dentro de media hora exacta.

—Bien —dijo la señora Gaskitt—. ¿Dónde?

—Recójame en la puerta del banco —pidió la voz.

—Por supuesto —aseguró la señora Gaskitt—. ¿Y adónde quiere ir?

—Lo más lejos posible —dijo la voz—. ¡Es una broma, mujer!... —Y colgó.

El señor Gaskitt desayunó.

Se puso la chaqueta,
el anorak,
el abrigo,

tres bufandas,
dos pares de guantes
y el chubasquero.

—No te dejes los
sombreros, cariño
—dijo la señora
Gaskitt.

El señor Gaskitt besó a su esposa y a sus hijos.

—¡Hasta luego, queridos!

—¡Adiós, papá!

Y se fue.

2

El señor Gaskitt, en un atasco

El señor
Gaskitt se
metió como
pudo en el
coche. Había empezado a nevar un poco,
y encendió la radio.

¡Buenos días, señor Gaspot..., digo, señor Gasbill..., digo, señor Gaskitt!

«Tengo que arreglar esta radio», pensó
el señor Gaskitt.

Condujo calle abajo,
giró en la rotonda y subió por
el paso elevado.
16   Se detuvo en el semáforo:
rojo, ámbar, verde.

Mientras tanto, Horacio había bajado y estaba viendo la tele en el salón.

La señora Gaskitt había aparcado en la puerta del banco.

Gus y Gloria estaban en el colegio
viendo (¡oh, no!) cómo su vieja profesora
se caía de una escalera,
la pobre.

La profesora, que se llamaba señorita
Pestiño, cayó con un tremendo ruido,
y se hizo un enorme chichón en la cabeza
y tuvo que irse a casa.

El señor Gaskitt seguía en el coche, detenido en un atasco. Un camión había volcado cuando intentaba ir marcha atrás.

¡PÍÍÍ, PÍÍÍ!
¡TODAVÍA VOY
MARCHA ATRÁS!
¡PÍÍÍ!
¡QUE DERRAPO!
¡QUE VUELCO!
¡PÍÍÍ!

Los árboles de Navidad que transportaba el camión se desparramaron por toda la calle. El camión estaba volcado sobre uno de sus laterales.

El señor Gaskitt suspiró y
se entretuvo con la radio, que
decía: «El tráfico es fluido,
no hay ninguna retención.
Feliz Semana Santa a todos
nuestros oyentes».

El señor Gaskitt sigue adelante

22   El tráfico era fluido y brillaba el sol. El señor Gaskitt siguió adelante.

   La radio iba diciendo: «¡Hay un atasco tremendo! ¡Cuidado con la niebla! Prueben los pastelillos de carne La Masa».

   El señor Gaskitt se detuvo en una gasolinera.

¡Buenos días, señor Gaskitt!

Salió con:

> 4 vasos de vino de regalo.
>
> 3 pegatinas para el coche.
>
> 2 latas.
>
> 1 caja de galletas.
>
> 1 bolsa familiar de palomitas...
>
> ¡Ah!, y también gasolina.

Mientras, Horacio se había ido de visita a casa de un amigo.

Gus y Gloria tenían problemas con el profesor sustituto, que se llamaba señor Seco.

El problema era que el señor Seco llevaba muchos años sin dar clase y sus métodos resultaban algo...

¡LAS MANOS EN LA CABEZA!

... anticuados.

La señora Gaskitt empezaba a impacientarse en la puerta del banco. Pero, justo cuando estaba a punto de irse, ¡pum!, un hombre muy bajito salió corriendo del edificio. Llevaba el cuello del abrigo subido y el sombrero calado hasta las cejas. Iba cargado con una bolsa enorme.

—¿Adónde vamos? —preguntó la señora Gaskitt.

—Pues... ¡al aeropuerto! —gruñó el hombre.

—¿Quiere que ponga la bolsa en el maletero?

—Pues... ¡no! —exclamó el hombre abrazando la maleta y mirando por encima del hombro—. Mejor la llevo conmigo.

La señora Gaskitt se huele algo

28 El señor Gaskitt conducía tranquilo. «Pronto llegaré», se dijo a sí mismo. En la radio sonaba un *rock and roll*; pero de pronto se oyó una voz: «Interrumpimos el *rock and roll* para darles una noticia de última hora: SE HA PRODUCIDO UN ATRACO EN EL BANCO».

—¡Mira por dónde! —exclamó el señor Gaskitt.

«LA POLICÍA SIGUE LA PISTA DE UN HOMBRE MALO CON UNA BALSA PEQUEÑA», dijo la radio.

«¡PERDÓN...! UN
HOMBRE GRANDE
CON UNA BOLSA
MALA... UNA BOLSA
PEQUEÑA CON UN...
¡MECACHIS!».

La señora Gaskitt también tenía la radio puesta.

—¡Anda, un atraco en el banco! —exclamó.

—¡Espantoso! —gruñó el pasajero estrechando la bolsa con fuerza.

—Salió usted del banco justo a tiempo —dijo la señora Gaskitt.

—Sí —gruñó el hombre—. ¡Qué suerte...! ¿Verdad?

Justo entonces, empezó a sonar la sirena de la policía detrás de ellos.

—¡Acelere! —gruñó el hombre.

Pero la señora Gaskitt ya empezaba a sospechar algo.

—¿Por qué?

—¡Porque lo digo yo! —gruñó el hombre.

La señora Gaskitt se olía algo raro.

—Un momento..., ¿qué lleva usted en esa bolsa?

—Métase en sus asuntos —gruñó el hombre—. ¡Gire a la izquierda! —añadió.

En clase, Gus y Gloria veían aumentar sus problemas con el señor Seco.

—¡El dedo en los labios! ¡Los codos en las rodillas! ¡La pierna izquierda por detrás del cuello y encima del hombro derecho! —decía el señor Seco.

Entre tanto, Horacio estaba en casa de su amigo viendo una película antigua. Era una peli vieja muy triste. Horacio sacó el pañuelo. De repente, una voz dijo: «Interrumpimos esta película antigua muy triste con una noticia de última hora: ¡SE HA PRODUCIDO UN ATRACO EN EL BANCO!».

En el colegio, los niños se preparaban para ir a clase de natación y el señor Seco los hacía desfilar por el patio como si fueran soldados.

El autobús esperaba en la calle.

RUTA ESCOLAR

Ladrón a la fuga

36   El señor Gaskitt seguía conduciendo y la radio seguía equivocándose.

«EL LADRÓN HA HUIDO EN UNA MOTO», decía.

Mientras tanto, el caco seguía en el taxi de la señora Gaskitt.

«EL LADRÓN HA HUIDO EN UN COCHE DE BOMBEROS», gritaba la radio.

Entonces, la señora Gaskitt se detuvo en un semáforo y el ladrón saltó del coche.

«EL LADRÓN ESTÁ ESCONDIDO EN SU GUARIDA, COMIENDO HUEVOS, PATATAS FRITAS Y JUDÍAS ESTOFADAS», aullaba la radio.

Sin embargo, en esos momentos el ladrón no sabía qué hacer.

Justo en ese instante vio el autobús, que también estaba parado en el semáforo. Las pequeñas caritas redondas apretaban la nariz contra las ventanas empañadas. Un par de ellas sacaban la lengua.

La señora Gaskitt perseguía al delincuente.

—¡Al ladrón! —gritaba.

Calle abajo, la sirena de la policía se oía cada vez más fuerte.

El ladrón abrió la puerta del autobús
y saltó dentro. Gus y Gloria iban en
el primer asiento con sus bolsas de
natación. El señor Seco se puso de pie en
el pasillo.

—¿Quién es usted? —preguntó.

—¡Métase en sus asuntos! —gruñó
el hombre—. ¡Acelere! —ordenó,
dirigiéndose al conductor.

Horacio dijo «¡Miau!»

40

El señor Gaskitt todavía seguía
conduciendo y le pareció ver a lo lejos
el taxi de la señora Gaskitt. A su vez,
esta corría tras el autobús, pues le había
parecido ver a Gus y a Gloria.

Dentro del autobús, el señor Seco seguía preguntando:

—Pero ¿qué es esto? ¿Qué está pasando aquí?

Y los niños le decían:

—¡Es un secuestro, señor!

—¡Nos han raptado!

—¡Rescate!

—¡Que no, que es una broma!

—¡Una inocentada!

—¡Se está quedando con nosotros!

Entonces el ladrón tomó el mando. Metió la mano en el bolsillo y sacó... ¡una pistola! Bueno, en realidad, era una pistola de juguete, la misma que había usado para atracar el banco.

—¡Es de mentira! —gritaron los niños.

—¡Yo tengo una igual!

—¡Es de plástico!

—¡Silencio! —gruñó el ladrón—. ¡Demonio de niños! ¡Los dedos en los labios, las manos en la cabeza! —añadió.

También era un anticuado.

—¡Usted también! —le dijo al señor Seco—. ¡Arranque! —le ordenó al conductor.

44   Y empezó la persecución.
        El autobús rodó calle abajo,
la señora Gaskitt lo seguía en su taxi,
el señor Gaskitt la perseguía a ella
en su coche, la policía le perseguía a él
y la reportera de televisión,
con un cámara en su camioneta,
los perseguía a todos.

Horacio seguía en casa de su amigo viendo la tele. Estaban poniendo un anuncio de comida para gatos, la favorita de Horacio. De repente, una voz dijo: «Interrumpimos este anuncio de su comida para gatos preferida para conectar en directo con... ¡UNA PERSECUCIÓN POLICIAL!».

—¡Miau! —exclamó Horacio.

El ladrón desgraciado

El autobús subió por la colina… y bajó la colina. Los niños empezaron a murmurar.

Se metió por un túnel… y salió del túnel. Los niños empezaron a hablar.

Giró en la rotonda y subió y cruzó el paso elevado. Los niños empezaron a gritar:

—¡Me hago pis!

—Por favor, señor —dirigiéndose al ladrón—, que me mareo.

—Yo también, señor.

—¡Y yo!

—Yo no, señor.

—Ni yo. Yo nunca me mareo.

—¡Silencio! —gruñó el ladrón.
Pero los niños estaban armando
tanto jaleo que no podían oírle.

—¡Señor, Tracey me ha quitado mis
gafas de natación!

—¡Jonathan me ha quitado la toalla!

—¡Brian está comiendo, señor!

—¿Falta mucho para llegar?

El ladrón estaba tan desesperado que se tapó los oídos.

«¡Esto es peor que la cárcel!», pensó; y el señor Seco sonreía...

—¡Por favor, señor!

Los niños cada vez hacían más ruido.

—¡Porfa, señor!

—¡Me ha quitado mi...!

—¡Señor ladrón...!

bip,
bip

—¡Yo no he sido!

—¡Sí, has sido tú!

—¡No es verdad!

—¡Señor ladrón!

—¡Ay, no empujes!

El «señor ladrón» se sentía desgraciado. Miró hacia la tranquila calle, llena de gente, y gritó:

—¡Pare el autobús!

El señor Gaskitt echa
una mano

52 El señor Gaskitt corría a toda máquina
    pues estaba muy preocupado. ¿Qué
    estaba haciendo la señora Gaskitt? ¿Por
    qué perseguía a ese autobús?

    La señora Gaskitt también corría
    a toda máquina y estaba muy
    preocupada. ¿Qué estaba
    haciendo el ladrón?
    ¿Adónde iba con Gus y con
    Gloria?

De repente, el autobús se detuvo.

El ladrón saltó al exterior, seguido de cerca por el señor Seco, el conductor y veintisiete niños..., todos ellos gritando:

—¡Deténganle!

—¡Se escapa!

—¡Tracey me ha quitado el cepillo!

La persecución empezó de nuevo.

El ladrón entró en un supermercado y salió, subió por la escalera mecánica y bajó, bajó por la escalera mecánica y volvió a subir.

Se metió en un ascensor y subió y bajó, subió, bajó y salió. Entró en una pizzería y («mmm») salió con una pizza robada (de masa gruesa, tamaño familiar y extra de salchichón).

El ladrón era pequeño. El ladrón era rápido. Doblaba las esquinas, los esquivaba y se abría camino. A punto estuvo de escapar.

Los niños no podían alcanzarle. La policía no podía alcanzarle. La señora Gaskitt no podía alcanzarle...

El ladrón corrió hacia el aparcamiento. «Voy a robar un coche», pensó. «Me escaparé. Mmm, ¡qué pizza más buena!».

De repente, apareció el señor Gaskitt.

—¡Quítate de mi camino! —exclamó el ladrón.

—No —dijo el señor Gaskitt.

—Soy pequeño —gruñó el ladrón—, pero matón.

El ladrón intentó
rodear al señor Gaskitt,
pero este era demasiado
ancho para él.

Intentó golpear al
señor Gaskitt, pero
el señor Gaskitt no
sintió nada.

Tropezó con su propia bolsa enorme y
se cayó de boca.

El señor Gaskitt se sentó encima de él.

9

Horacio lo ve todo

62   Instantes después, cuando la policía, y los niños, y los que hacían las compras navideñas, y la señora Gaskitt, y Gus y Gloria, y la reportera de TV (junto con el cámara

y el técnico de sonido) llegaron,
acalorados y sin resuello, allí estaba el
ladrón, capturado y aplastado, y allí
estaba el señor Gaskitt, tan fresco y tan
tranquilo, comiendo pizza.

Entonces, la policía apresó al ladrón.

La señora Gaskitt abrazó a Gus y
a Gloria, el señor Gaskitt abrazó a
la señora Gaskitt, y Gus y Gloria le
abrazaron a él.

Mientras tanto, en casa de su amigo, en directo por la tele, Horacio lo vio todo.

—¡Los conozco! —gritó.

—No es verdad —dijo su amigo.

—Sí lo es. Viven en mi casa.

—No es verdad.

—Sí lo es. Son el señor, la señora, Gus y Gloria —aseguró Horacio ronroneando con orgullo—. Yo soy su gato.

En el aparcamiento, la policía y la reportera de televisión hacían preguntas y, sobre todo, contestaban Gus y Gloria:

—¡Él es nuestro papá!

—¡Ella es nuestra mamá!

El señor Seco hacía marchar a los otros niños hacia el autobús.

El ladrón iba camino de la cárcel.

Alguien habló de una recompensa.

De repente, el señor Gaskitt miró su
reloj.

—¡Oh, no! —exclamó—. Es hora de
que me vaya.

El señor Gaskitt besó a su mujer y a
sus hijos.

—¡Adiós, queridos!

—¡Adiós, papá!

Y se fue pitando.

10

El señor Gaskitt va a trabajar

70 El señor Gaskitt iba conduciendo.

—Llegaré enseguida —se dijo a sí mismo.

Encendió la radio.

«EL LADRÓN ESCAPA SIN DEJAR RASTRO. LA POLICÍA, DESCONCERTADA».

Y la volvió a apagar.

«Tengo que arreglar esta radio sin falta», pensó el señor Gaskitt.

El señor Gaskitt giró a la izquierda, cruzó una barrera automática y entró en el aparcamiento.

¡Buenos días, señor Gaskitt!

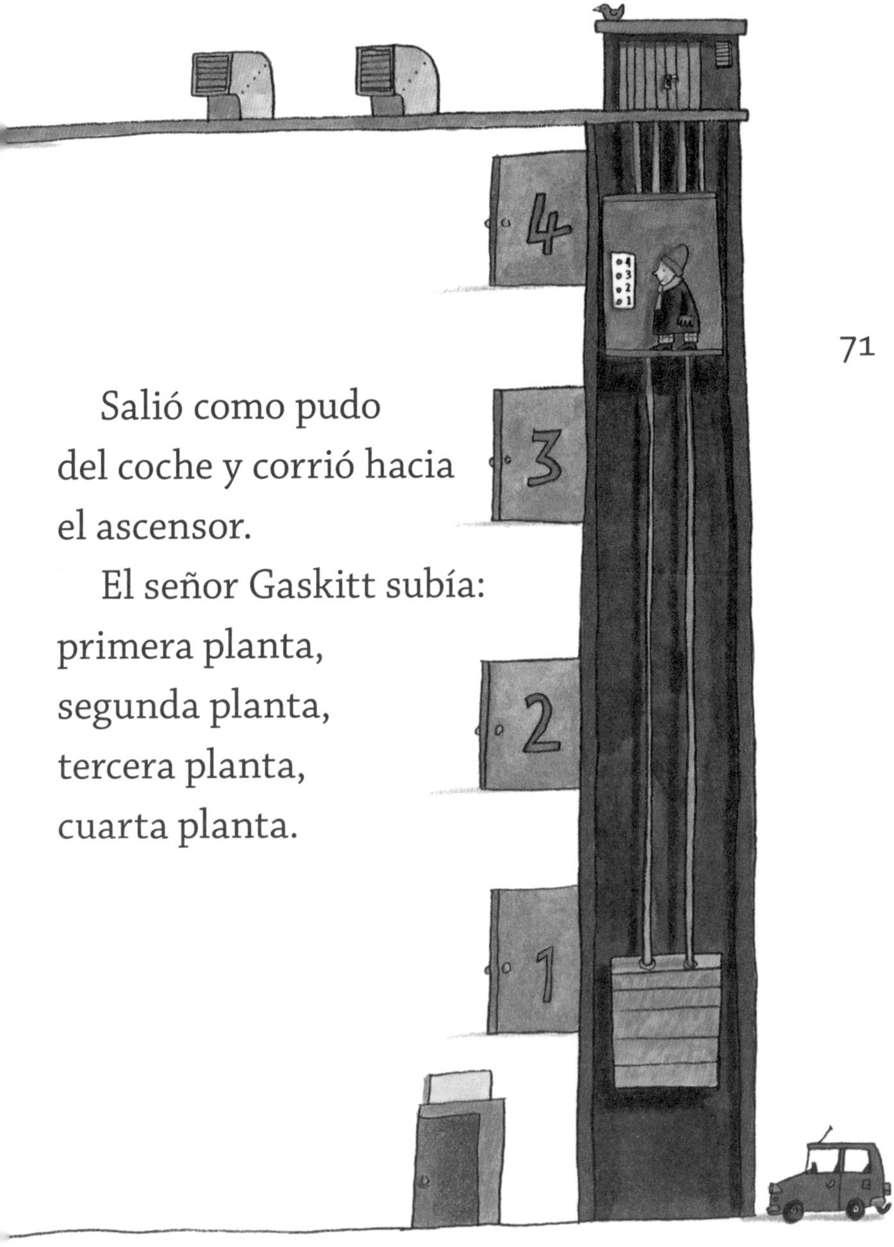

Salió como pudo
del coche y corrió hacia
el ascensor.

El señor Gaskitt subía:
primera planta,
segunda planta,
tercera planta,
cuarta planta.

El señor Gaskitt entró en un cuartito. Tomó el agua caliente y se preparó un té rápido.

¡Buenos días, señor Gaskitt!

Miró su reloj y pensó: «¡Qué tarde es!».

El señor Gaskitt se preparó: se puso los pantalones rojos de su uniforme,

y el abrigo rojo
de su uniforme,

el sombrero
y los guantes
rojos de su
uniforme,

las botas negras
de su uniforme

y la barba
blanca
de su uniforme.

—¡Ho, ho ho! —exclamó el señor Gaskitt.

Y se fue a trabajar.

11

El señor Gaskitt vuelve a casa

El señor Gaskitt se pasó el día sentado
delante del decorado con niños en
el regazo. Era el perfecto Papá Noel:
agradable y cómodo, como una enorme
cama blandita.

A las cinco y media, el
señor Gaskitt llegó a su casa.

¡Buenas tardes,
señor Gaskitt!

Se quitó el chubasquero,
el abrigo, el anorak,
la chaqueta, las tres bufandas y los dos
pares de guantes.

—Toma, papá, una taza
de té —dijo Gloria.

Se quitó los
cuatro jerséis,
la corbata,
dos camisas y
un par de
pantalones.
—Toma, papá, el periódico de la
tarde —dijo Gus.

El señor Gaskitt se sentó en su sillón
y, mientras se tomaba el té, leyó el
periódico.

«¡PAPÁ NOEL SALVA
LA SITUACIÓN!»,
decían los titulares.

Aquella noche, la familia Gaskitt
(los cuatro y Horacio) vio en la tele una
vieja película muy triste. Se comieron
las palomitas, se secaron las lágrimas y
esperaron juntos... el final feliz.

ESTÁS

A PUNTO
DE
ABANDONAR
UN LIBRO
DE LOS
GASKITT

Aquí acaba este libro
escrito, ilustrado, diseñado, editado, impreso
por personas que aman los libros.
Aquí acaba este libro que tú has leído,
el libro que ya eres.

¡Adiós!